Flex und Flora

Deutsch

4

Texte schreiben

Erarbeitet von
Heike Baligand, Niedersachsen
Angelika Föhl, Baden-Württemberg
Nadine Pistor, Nordrhein-Westfalen
Bettina Sievert, Nordrhein-Westfalen
in Zusammenarbeit mit der
Redaktion Grundschule

Für die Ausleihe bearbeitet von
Heike Baligand, Niedersachsen
Katharina Jorga, Baden-Württemberg
Caroline Tautz, Hessen
Christina von Weyhe, Niedersachsen

Unter beratender Mitwirkung von
Marion Aufleger, Hessen; Nadin Haida-Herklotz, Berlin/Brandenburg;
Dr. Erwin Hajek, Baden-Württemberg; Jessica Heide, Saarland;
Alexandra Herbon Carou, Rheinland-Pfalz; Tanja Holtz, Niedersachsen;
Petra Klein, Saarland; Esther Mager, Schleswig-Holstein;
Nicole Pleus-Quiter, Niedersachsen; Insa Scheller, Hamburg

Illustriert von
Gabie Hilgert, Karoline Kehr

Diesterweg
westermann

Inhaltsverzeichnis

T1

T2

Zufallsgeschichten schreiben

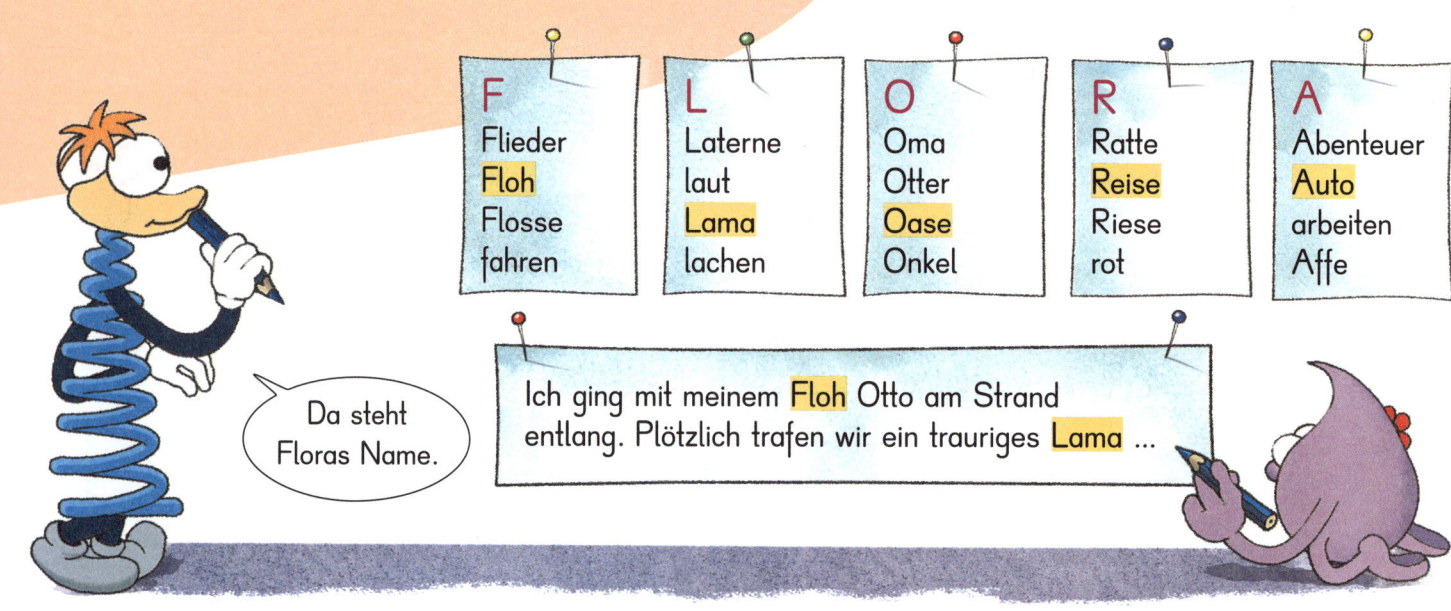

F
Flieder
Floh
Flosse
fahren

L
Laterne
laut
Lama
lachen

O
Oma
Otter
Oase
Onkel

R
Ratte
Reise
Riese
rot

A
Abenteuer
Auto
arbeiten
Affe

Da steht Floras Name.

Ich ging mit meinem Floh Otto am Strand entlang. Plötzlich trafen wir ein trauriges Lama ...

1 Was macht Flora mit ihrem Namen?
Sprich mit einem Partner darüber.

2 Schreibe die Buchstaben deines Namens
oder Spitznamens ins Heft.
Sammle zu jedem Buchstaben einige Wörter.

2) L	A	R	S
Limo	Anna		
lustig			
lesen			
Lied			

3 Markiere in Aufgabe 2
in jeder Spalte ein Wort,
das du für eine Geschichte verwenden möchtest.

4 Schreibe mit deinen markierten Wörtern
eine Geschichte ins Heft.
In jedem Satz soll eines deiner
markierten Wörter vorkommen.

4) ...

5 Lies einem Partner deine Geschichte vor.
Was hat ihm gut gefallen?
Sprecht darüber.

6 a) Schreibe die Buchstaben deines Lieblingstieres
wie in Aufgabe 2 ins Heft.
Sammle zu jedem Buchstaben einige Wörter.

b) Markiere in jeder Spalte ein Wort,
das du für eine Geschichte verwenden möchtest.

7 Erzähle einem Partner
mit den markierten Wörtern von Aufgabe 6
eine Geschichte.

Ein Schreibspiel kennenlernen
Wörter mit den Buchstaben des eigenen Namens suchen
Eine kurze Geschichte schreiben und erzählen

Schreibideen gemeinsam sammeln

1 Suche dir drei Kinder für eine Gruppe.

2 a) Jeder faltet ein langes Blatt in vier Spalten
und ergänzt die passenden Überschriften:
Ort, Sache, Tier, Person.

b) In die erste Spalte schreibt jeder einen Ort,
faltet die Spalte nach hinten
und gibt das Blatt an seinen Nachbarn weiter.

c) Nun trägt jeder in die weiteren Spalten jeweils eine Sache,
ein Tier und eine Person nach dem gleichen Vorgehen
wie in Aufgabe b) ein.

Wenn ihr das Blatt mehrmals herumgebt, habt ihr mehr Wörter zur Auswahl.

ein **Ort**, wo ich gern wäre:	eine **Sache**, die ich gern mag:	ein **Tier**, das ich **nicht** mag:	eine **Person**, die ich gern treffen würde:

3 Nun arbeitet jeder allein.
Falte dein Blatt auf und schreibe
mit den vorhandenen Wörtern
eine Vier-Sätze-Geschichte ins Heft.

3) ...

4 Lest euch eure Geschichten gegenseitig vor.

5 Sucht andere Überschriften für die Spalten
und spielt weitere Runden.

Feiertage?

Filme?

Essen?

Musik?

6 Findet zu einigen Wörtern von Aufgabe 2 oder Aufgabe 5 Reimwörter.
Schreibt mithilfe der Wörter ein kurzes Gedicht ins Heft.

Zu Überschriften passende Wörter sammeln
Aus vorgegebenen Wörtern eine Vier-Sätze-Geschichte schreiben

45
46

AH S. 50–51

An andere adressatengerecht schreiben

Im Betreff schreibe ich, wie in einer Überschrift, worum es geht.

Planung: Besuch des Technikmuseums

Termin? Führung? Kosten? Personenzahl?

Das wollen wir wissen.

E-Mail A

Einfügen Optionen Text formatieren Überprüfen

An... museum@technik.de
Cc...
Senden
Betreff: Besuch im Technikmuseum

Sehr geehrte Damen und Herren,

unsere Klasse 4c möchte an einem Freitag
im Mai oder Juni Ihr Museum besuchen.
Wir sind 25 Kinder und zwei Begleitpersonen.
Wann wäre ein Besuch möglich?
Was würde er kosten? Gibt es Führungen?
Über eine Antwort von Ihnen würden wir
uns freuen.

Mit freundlichen Grüßen
Klasse 4c der Turmschule

E-Mail B

Einfügen Optionen Text formatieren Überprüfen

An... museum@technik.de
Cc...
Senden
Betreff:

Hallo Leute,

wir würden gern zu Ihnen kommen.
Habt ihr mal zeit?
Wäre super!
Antwortet bitte schnel,
wir müssen planen.

Tschüss
Klasse 4c

1 Suche dir einen Partner.

2 a) Jeder liest die E-Mails allein.

   b) Welche E-Mail würdet ihr an das Technikmuseum schreiben und warum?
   Sprecht darüber.

> Wenn du schriftlich nach Informationen fragst,
> musst du die Form einhalten.
> Du schreibst einen **Betreff**, eine **Anrede** und einen **Gruß** auf.
> Du benutzt **höfliche Anredepronomen**.
> Überprüfe auch den Inhalt und die Rechtschreibung.

3 Findet in E-Mail A den Betreff, die Anrede,
die höflichen Anredepronomen und den Gruß.

4 Warum wird das Museum die E-Mail B nicht sinnvoll beantworten können?
Welche Informationen müssen ergänzt werden?
Sprecht darüber.

 AH S. 52–53

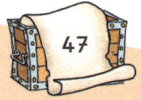 47

E-Mails nach formalen und inhaltlichen Unterschieden vergleichen
Formale Elemente in E-Mails erkennen
Formale Elemente in E-Mails finden und fehlende Informationen ergänzen

Einen Brief schreiben

1 Die Kinder der Rheinschule haben das Buch
Wir drei aus Nummer 4 von Christian Tielmann gelesen.
Nun sammeln sie Ideen für einen Brief an den Autor.
Lies die Sprechblasen.

Schreiben Sie noch ein Buch über Wenzel und seine Freunde?

Das Buch hat uns ganz toll gefallen.

Wie sind Sie auf die Idee zu dem Buch gekommen?

Sind Sie selbst in der Stadt aufgewachsen?

Wo schreiben Sie am liebsten?

2 Formuliere eigene Fragen an den Autor
oder die Autorin eines Buches,
das du gelesen hast.
Schreibe deine Fragen ins Heft.

2) Titel: _____
   Autor/Autorin: _____

3 Notiere eine passende Anrede
und eine Grußformel.
Schreibe ins Heft.

3) ... _____

4 Formuliere mithilfe
der Aufgaben 2 und 3
einen Brief an den Autor oder die Autorin
und schreibe ihn ins Heft.

4) ... _____

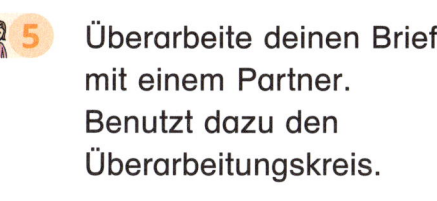
5 Überarbeite deinen Brief
mit einem Partner.
Benutzt dazu den
Überarbeitungskreis.

Du kannst auch am Computer schreiben.

6 Schreibe einen Brief an eine Person,
die dich interessiert, ins Heft:
- an einen Pop-Star,
- an einen Musiker,
- an einen Sportler,
- an eine Schauspielerin, …

6) ... _____

Ideen für einen Brief ergänzen
Einen Brief an einen Kinderbuchautor schreiben
Einen Brief überarbeiten

48

Eine Anfrage ...

1 Lies die Anzeigen mit Angeboten für Geburtstagsfeiern.

Geburtstagsfeier für Rennfahrer

Auf unserer Kartbahn bieten wir ein besonderes Event: Kartfahren mit Einweisung und Kartführerschein für Gruppen bis zu acht Kindern. Wir stellen Helme, Sturmhauben und ein Softgetränk nach Wahl.
Gern können Sie Kuchen, Essen und Getränke mitbringen.
Für Leihgeschirr erheben wir nur eine kleine Reinigungspauschale.
Kontakt: kart@geburtstag.de

Kletteraffen-abenteuer

Möchtet ihr einmal einen ganz anderen Geburtstag feiern? Dann besucht uns zu einem einmaligen Erlebnis. Es erwarten euch sportliche Aufgaben im Wald. Auf niedrigen Seilen könnt ihr allein und im Team erste Erfahrungen im Klettern sammeln (1,5 Std.). Erfahrene Kletterer können unter Anleitung im Kletterwald klettern (2 Std.). Zum Geburtstagspaket gehören auch Getränke, Obst und Muffins.
Infos unter: klettern@wald.de

Geburtstagsfeier im Wildpark

Ein besonderes Erlebnis ist die Geburtstagsfeier im Wildpark – mit Kaffeetafel, Ponyreiten, Kutschfahrt, Picknick, einer spannenden Tierfütterung und vielem mehr. Ihr könnt am Lagerfeuer Würstchen grillen und Stockbrot backen.
Bitte die einzelnen Wünsche abstimmen unter:
Wildpark@abenteuer.de

Bowling-Geburtstag

Feiern Sie bei uns Geburtstag!
Wir organisieren mit Ihnen ein Fest, an das sich Ihr Kind lange erinnern wird: mit allem, was rund ums Bowlen dazugehört.
2 Stunden Bowling, Leihschuhe, Geburtstagskuchen und Eistee an der Bahn gibt es für 10 € pro Kind.
Selbst mitgebrachte Speisen oder Getränke sind nicht gestattet.
Näheres erfahren Sie unter:
feiern@bowling.de

Anzeigen zu Freizeitangeboten lesen
Eine Anzeige auswählen

... per E-Mail schreiben

2 Wähle eine Anzeige von Aufgabe 1 aus, die für deine Geburtstagsfeier in Frage kommt.

3 Was erfährst du in der Anzeige, die du in Aufgabe 2 ausgewählt hast? Schreibe ins Heft.

3) Dauer: _____

> Dauer

> höchste Teilnehmerzahl

> Kosten pro Teilnehmer

> Essen und Trinken:
> • wird gestellt
> • wird mitgebracht

> weitere Fragen

4 Schreibe eine E-Mail an den Veranstalter ins Heft. Frage nach den Informationen, die dir noch fehlen, um deinen Geburtstag zu planen.

4) An: _____
   Cc: _____
   Betreff: _____
   ...

Hoffentlich ist mein Wunschtermin noch frei.

5 Lies deine E-Mail einem Partner vor. Achtet auf Anrede, Betreff, Gruß und Anredepronomen.

6 Überarbeite deine E-Mail. Benutze dazu den Überarbeitungskreis.

Einen Notizzettel ergänzen
In einer E-Mail fehlende Informationen erfragen
Eine E-Mail überarbeiten

T1

Informationen ordnen ...

Das will ich über den Biber wissen.

Wie groß ist der Biber?   Was fressen Biber?

Wie wachsen Biber auf?

Wo leben Biber?

Ich schreibe darüber.

1 Schreibe weitere Fragen zum Biber, die dich interessieren, ins Heft.

1) ...

2 Schreibe die Stichworte aus dem Kasten nach den Oberbegriffen geordnet ins Heft.

2) Lebensraum: ...

etwa 100 cm lang	3 bis 5 Junge	2 Monate gesäugt
Biberburg	Europa	2 Jahre bei den Eltern
am Wasser	junge Baumtriebe	Wasserpflanzen
unbehaarter Schwanz	Rinden und Blätter	braunes Fell

Lebensraum: Wo leben Biber?

Ernährung: Was fressen Biber?

Nachwuchs: Wie wachsen Biber auf?

Aussehen: Wie sehen Biber aus?

3 Suche weitere Informationen zum Biber in einem Tierbuch oder im Internet. Schreibe ins Heft, was du besonders interessant findest.

3) ...

Fragen zu einem Sachthema lesen und ergänzen
Informationen Oberbegriffen zuordnen

... und Sachtexte am Computer gestalten

4 Das Rechtschreibprogramm des Computers
hat zwei Wörter unterstrichen.
Sprich mit einem Partner darüber.

5 a) Flora möchte die Überschrift in der Mitte über dem Text haben.
Welches Icon muss sie wählen?
Sprich mit einem Partner darüber.

Das ist ein Icon.

b) Nun will sie die Überschrift noch besonders gestalten.
Zeige deinem Partner, welches Icon zu welchem Schriftbild gehört.

F   *Der Biber*

K   <u>Der Biber</u>

U   **Der Biber**

c) Flora probiert für ihren Text verschiedene Schriftarten aus.
Zeige deinem Partner die Schriftart, die du verwenden würdest.

Biber leben in Europa.   Biber leben in Europa.
Biber leben in Europa.   *Biber leben in Europa.*
Biber leben in Europa.   *Biber leben in Europa.*

d) Zeige deinem Partner die Schriftgröße, die du verwenden würdest.

Der Biber   Der Biber   Der Biber   Der Biber   Der Biber

6 Schreibe einen Text über Biber am Computer.
Wähle in deinem Schreibprogramm Schriftart und Schriftgröße aus.
Gestalte anschließend den Text.

Informationen ordnen ...

1 Lies die Stichworte zur Sportart Tischtennis.

> Ball zurückspielen
>
> Tischtennisplatte   Tischtennisschläger
>
> Ball darf nur einmal aufspringen
>
> bei Freunden   Tischtennisbälle
>
> Ball übers Netz schlagen
>
> Sportschuhe   Training im Verein
>
> Tischtennis-AG in der Schule

2 Ordne die Informationen von Aufgabe 1
den passenden Oberbegriffen zu.
Schreibe ins Heft.

2) Ausrüstung: ...

Ausrüstung

Spielorte

Regeln

3 Schreibe und gestalte einen Text über Tischtennis am Computer.

Formuliere ganze Sätze.

4 Lies deinen Text einem Partner vor.
Frage ihn, was ihm besonders gut gefallen hat
und was du noch verbessern kannst.

5 Wähle eine andere Sportart aus.
Notiere zu den Oberbegriffen von Aufgabe 2
Stichworte im Heft.
Schreibe dann einen Text am Computer.

Informationen nach Oberbegriffen ordnen
Einen Text mithilfe der Informationen schreiben
Eine Rückmeldung zu einem Text einholen

... und Sachtexte präsentieren

6 Lies die Informationen zum Beruf des Tierpflegers.

> Pflege der Tiere   Liebe zu Tieren
>
> Reinigung der Ställe und Gehege
>
> Fütterung   Schulabschluss
>
> Beobachtung der Tiere   Geduld
>
> Aufzucht von Jungtieren
>
> Tierärzten assistieren   Naturpark
>
> Wildgehege   3 Jahre Ausbildung
>
> Zoo   Verantwortungsbewusstsein

7 Ordne die Informationen von Aufgabe 6 den passenden Oberbegriffen zu. Schreibe ins Heft.

> 7) Beruf Tierpfleger
> Fähigkeiten: Liebe zu Tieren,
> ...

Beruf Tierpfleger

Fähigkeiten

Orte

Tätigkeiten

Ausbildung

8 Schreibe einen Sachtext über den Beruf des Tierpflegers am Computer.

9 a) Sammle Informationen zu einem Beruf, der dich interessiert, und schreibe dazu Stichworte geordnet ins Heft.

> 9a) ...

b) Schreibe einen Sachtext über diesen Beruf am Computer.

10 Wähle ein Thema von diesen beiden Seiten aus, das du den anderen Kindern vorstellen möchtest.
Überlege dir, in welcher Reihenfolge du das Thema präsentieren willst.
Suche dir dann zwei Kinder für eine Gruppe und stelle ihnen das Thema vor.

Informationen nach Oberbegriffen ordnen
Einen Text mithilfe der Informationen schreiben
Ein Thema präsentieren

50

13

Es regnet plötzlich.

Alles wird nass.

Der Regen platscht auf die Erde.

Auf der Straße sind Pfützen.

Die Kinder springen ohne Strümpfe und Schuhe in die Pfützen.

Das Wasser spritzt überall herum.

Der Regen wird weniger.

Die Sonne scheint durch Wolken.

Ein Regenbogen umspannt den ganzen Himmel.

Er ist rot, orange, gelb, grün, blau und violett.

In Pfützen springen
ohne Strümpfe und Schuhe
Wasser spritzt herum

Mein Gedicht ist ganz anders.

Ein Regenbogen
rot, gelb, grün, blau, violett
umspannt den Himmel

1 Lies die Texte oben im Bild.

2 a) Zeige einem Partner in den Sätzen die Wörter,
die Flora für ihr Gedicht verwendet hat.
Zeige ihm dann die Wörter in den Sätzen,
die Flex ausgesucht hat.

2b) Flora: 1. Zeile:
2. Zeile:
3. Zeile:

b) Zählt die Silben in den einzelnen Zeilen
von Flex und Flora
und notiert die Anzahl im Heft.

Diese Gedichtform kommt aus dem Japanischen und heißt **Haiku**.
Das Haiku beschreibt Dinge aus der Natur.
Das Haiku hat drei Zeilen.
In der ersten Zeile stehen 5 Silben,
in der zweiten Zeile 7 Silben
und in der dritten Zeile wieder 5 Silben.

3 Welches Gedicht gefällt dir besser?
Begründe einem Partner deine Entscheidung.

Sprachliche Verdichtung für ein Haiku nachvollziehen
Den Aufbau des Haikus erkennen

... Ideen sammeln und ein Haiku schreiben

4 Stell dir vor, du bist draußen im Wald.
Was kannst du beobachten? Was riechst und hörst du?
Notiere Stichworte in einem Gedankenschwarm im Heft.

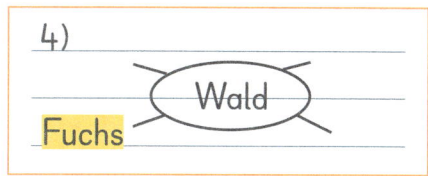

5 a) Markiere in deinem Gedankenschwarm
von Aufgabe 4 die Wörter,
die dir besonders gut gefallen.

b) Schreibe mit deinen markierten Wörtern
Sätze ins Heft.

c) Wähle aus den Sätzen Wörter für eine Haiku-Zeile,
markiere sie und zeichne Silbenbögen darunter.

6 Schreibe nun dein Haiku ins Heft.

1. Zeile: 5 Silben

2. Zeile: 7 Silben

3. Zeile: 5 Silben

7 Schreibe dein Haiku auf ein Schmuckblatt und stelle es aus.

8 a) Notiere Stichworte zum Thema **Gewitter**
in einem Gedankenschwarm wie in Aufgabe 4 im Heft.

b) Markiere die Wörter, die dir besonders gut gefallen.

c) Schreibe mit deinen markierten Wörtern Sätze ins Heft
und wähle daraus Wörter für eine Haiku-Zeile.
Markiere sie und prüfe die Silbenanzahl.

d) Schreibe dein Haiku auf ein Schmuckblatt und stelle es aus.

Naturthemen sammeln
Ideen sammeln und Sätze schreiben
Ein Haiku schreiben

AH S. 54–55

51
52

Den Aufbau einer ...

Eine Geschichte besteht aus drei Teilen.

Ich weiß, welche Karten zu welchen Teilen gehören.

nachts in einem Zimmer

Tony, Leo und ich schliefen

unheimliches Geräusch

alle wachten auf

Angst

Schatten am Fenster

Tür ging auf, Licht an

Mädchen lachten

Einleitung

Hauptteil

Schluss

1 Überlege mit einem Partner, zu welchen Teilen der Geschichte auf dem roten Faden Floras Karten passen.

2 Lies den Text, den Flex geschrieben hat.

Wer war beteiligt?
Wo passierte es?
Wann passierte es?

Als wir diesen Sommer im Schullandheim waren, hatten Tony, Leo und ich gemeinsam ein Zimmer. In der zweiten Nacht schliefen wir schon früh ein.

Was passierte?

Plötzlich wachte ich auf. Was war das nur? Wieder hörte ich ein schauriges Geräusch. Wo kam das nur her? Ängstlich schaute ich zum Fenster. Oh nein! Hinter dem Vorhang sah ich einen Schatten. Er bewegte sich hin und her. Ich bekam Angst. Mir blieb beinahe die Luft weg. Mein Herz raste. Dann hörte ich ein furchtbares Schluchzen! Nun wachten auch Tony und Leo auf. „Was ist das?", flüsterte Leo mit zitternder Stimme. Tony zog sich panisch die Bettdecke bis unters Kinn. „Ich weiß nicht", flüsterte ich und dachte: Was kann das nur sein?

... Erlebnisgeschichte kennenlernen

Wie ging es zu Ende?

Auf einmal öffnete sich die Zimmertür. Fast gleichzeitig ging das Licht an und jemand lachte laut. „Angeschmiert", riefen Mia und Lena wie aus einem Mund. Vor dem Fenster hörten wir nun auch Sara und Kira lachen.

Geschichten kannst du in drei Teile gliedern: Einleitung, Hauptteil und Schluss.
Damit der Leser deine Erlebnisgeschichte verstehen kann, musst du
in der **Einleitung** die Fragen **Wer?**, **Wo?**, **Wann?** beantworten.
Im **Hauptteil** beschreibst du, **was** passiert.
Im **Schluss** steht, wie die Geschichte zu Ende geht. Das kann zum Beispiel
die Lösung eines Problems sein.

---

 3 Zeige einem Partner im Text von Aufgabe 2:

a) die Antworten auf die Fragen **Wer?**, **Wo?** und **Wann?** in der Einleitung.

b) die Antworten auf die Frage **Was?** im Hauptteil.

c) die Antworten auf die Frage **Warum?** im Schluss.

Tipps für spannende **Erlebnisgeschichten**:
- Verwende passende Adjektive: ein schauriges Geräusch
- Füge Fragen und Ausrufe ein: Was war das? Oh nein!
- Gebrauche wörtliche Rede: „Was ist das?"
- Beschreibe die Gefühle und Gedanken der Personen und die Auswirkungen:
  Ich bekam Angst. Mir blieb beinahe die Luft weg.

---

4 Schreibe wie in den Tipps
für spannende Erlebnisgeschichten
weitere Wörter oder kurze Sätze
passend zum Text von Aufgabe 2 ins Heft.

> 4) Passende Adjektive: _____
> ...

Passende Adjektive

Fragen und Ausrufe

Wörtliche Rede

Gefühle und Gedanken der Personen und die Auswirkungen

Eine Erlebnisgeschichte überarbeiten

1 Lies die Erlebnisgeschichte.

Fünf Meter sind hoch

Am letzten Wochenende war ich
bei meinem Vater.
Nach dem Frühstück fuhren wir
in ein Schwimmbad,
5 denn ich wollte unbedingt
vom 5-m-Turm springen.
Der Sprungturm war geöffnet.
Schnell kletterte ich die Leitern
bis zum 5-m-Turm hinauf. ☐1
10 Außerdem war es viel höher,
als ich gedacht hatte. ☐2
Hinter mir stand ein Kind,
das mir Mut machte. ☐3
Ich schaute nochmal kurz
15 in die Tiefe und dann sprang ich.
Ich merkte noch, wie mein Mund
sich öffnete. ☐4
Dann war ich schon im Wasser. ☐5
Mein Vater umarmte mich
20 am Beckenrand und lachte. ☐6
„Das war spitze!", rief ich. ☐7
Jetzt, wo ich es vorgemacht hatte,
wollte er unbedingt auch
einen Sprung wagen.

Wer ist beteiligt?
Wo passiert es?
Wann passiert es?
Was passiert?
Wie geht es zu Ende?

A Es war ein langer Aufstieg.

B Meine Knie wurden weich wie Butter.

C Ich brüllte: „Uaaaaa!"

D „Das war toll!", dachte ich.

E Ich hüpfte vor Freude auf und ab.

F „Sensationell!"

G „Spring einfach!", sagte es.

2 Zeige in der Geschichte von Aufgabe 1 auf die Einleitung, den Hauptteil und den Schluss.

3 Überarbeite die Zeilen 9 bis 21.
Lies, was rechts neben der Geschichte steht.
Finde eine passende Stelle für die Sätze oder Ausrufe und schreibe ins Heft.

3) 1 = A
2 = ...

4 Lies einem Partner die Geschichte einmal ohne die neuen Sätze und dann mit den neuen Sätzen vor. Frage ihn, welche Geschichte ihm besser gefallen hat und warum.

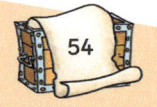

54

Einleitung, Hauptteil und Schluss in einer Erlebnisgeschichte identifizieren
Den Hauptteil einer Geschichte spannender gestalten
Die Wirkung von Texten vergleichen

Eine Erlebnisgeschichte schreiben

1 Lies die Karten mit den Stichworten
für eine Geschichte.
Überlege, welche Karten zur Einleitung,
zum Hauptteil und zum Schluss gehören.

| vor den Sommerferien |
| Klassenausflug Burg Rabenstein |
| Endlich hörte ich die Stimme des Burgführers. |

| Nachdem ich es gefunden hatte, suchte ich die Gruppe. |
| Ich ging zum Eingang zurück, weil ich dort mein Handy vergessen hatte. |
| Burgführer führte Gruppe durch Burg |

| ging in einen Gang, großes Fallgitter fiel herunter, eingesperrt |
| Fallgitter wurde hochgezogen, ich war froh, bei den anderen zu sein |
| Rütteln am Gitter, nichts passierte, Angst, Verzweiflung |

2 Schau dir das Bild an.
Wie fühlte sich der Junge?
was dachte er?
Was tat er?
Notiere deine Ideen im Heft.

2) ...

3 Schreibe eine Geschichte vom Klassenausflug
zur Burg Rabenstein ins Heft.

3) ...

a) Beantworte in der Einleitung die Fragen
Wer?, **Wo?** und **Wann?**.

b) Verwende im Hauptteil passende Adjektive,
Ausrufe, Fragen und wörtliche Rede.
Mache die Gefühle und Gedanken des Jungen deutlich.

c) Schreibe den Schluss der Geschichte.

4 Lies deine Geschichte einem Partner vor.
Dein Partner überprüft, ob du den Aufbau und die Schreibtipps beachtet hast.
Überarbeite deine Geschichte.

5 Schreibe eine Geschichte über ein Erlebnis, das für dich besonders spannend, lustig
oder schön war. Sammle Stichworte, ordne sie und schreibe die Geschichte ins Heft.

Einleitung, Hauptteil und Schluss identifizieren
Gefühle und Gedanken der Hauptperson antizipieren
Eine selbst verfasste Erlebnisgeschichte kriterienorientiert überprüfen

T2

Anleitungen für andere ...

Hast du auch die Reihenfolge beachtet? Zuerst die flüssigen, dann die festen Zutaten.

Oje, meine Muffins sind misslungen.

50 g oder 5 g Zucker?

Rezept
1 Ei   200 ml Milch
50 ml Öl   5 g Zucker
225 g Mehl
2 TL Backpulver
200 g Himbeeren

1 Überlege mit einem Partner, was Flora falsch gemacht haben könnte.

2 Finde alle Zutaten für die Muffins in den Bildern.

1 Ei

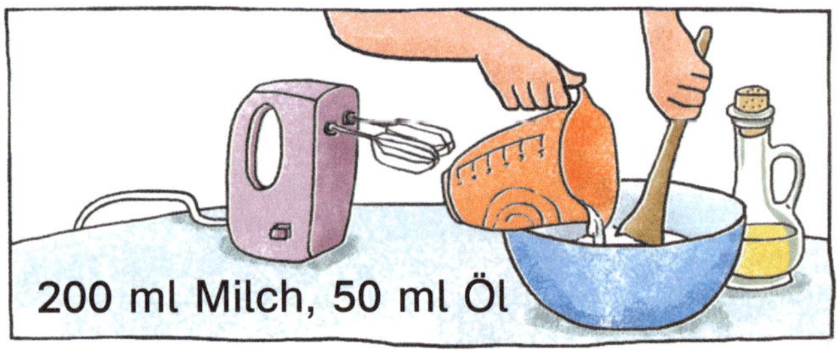

200 ml Milch, 50 ml Öl

50 g Zucker

225 g Mehl, 2 TL Backpulver

200 g Himbeeren

200 Grad, 20 min

... aufschreiben

3 Schreibe eine Liste mit den Zutaten von Aufgabe 2 ins Heft.

3) Zutaten:
   1 Ei
   ...

4 Lies die beiden Anfänge für die Backanleitung.

- Ei in eine Schüssel schlagen
- mit dem Handrührer verrühren
- Milch und Öl hinzufügen
-

Schlage zuerst das Ei in eine Schüssel. Verrühre es dann mit dem Handrührer. Füge nun die Milch und das Öl hinzu ...

5 Vergleiche mit einem Partner die beiden Backanleitungen. Sprecht darüber, was euch auffällt.

6 Welche Möglichkeit würdest du nutzen, wenn ...

a) ... du das Rezept für deinen Freund schnell notierst?

b) ... du deiner Mutter zum Geburtstag die Muffins und das Rezept schenkst?

6) ...

Schreibe eine der beiden Backanleitungen vollständig ins Heft.

Vergiss die Zutaten nicht.

7 Vergleiche deine Backanleitung mit den Bildern von Seite 20.

a) Überprüfe, ob du die Reihenfolge eingehalten hast.

b) Überarbeite sie, falls nötig.

8 Schreibe eine Backanleitung von deinem Lieblingsrezept ins Heft.

8) ...

Eine Zutatenliste anlegen
Backanleitungen formal vergleichen
Eine Backanleitung schreiben und mit Bildern vergleichen

Eine Spielidee ergänzen und aufschreiben

1 Suche dir einen Partner.

2 Schaut euch den Spielplan an.
Sprecht darüber, wie ihr damit spielen könnt.

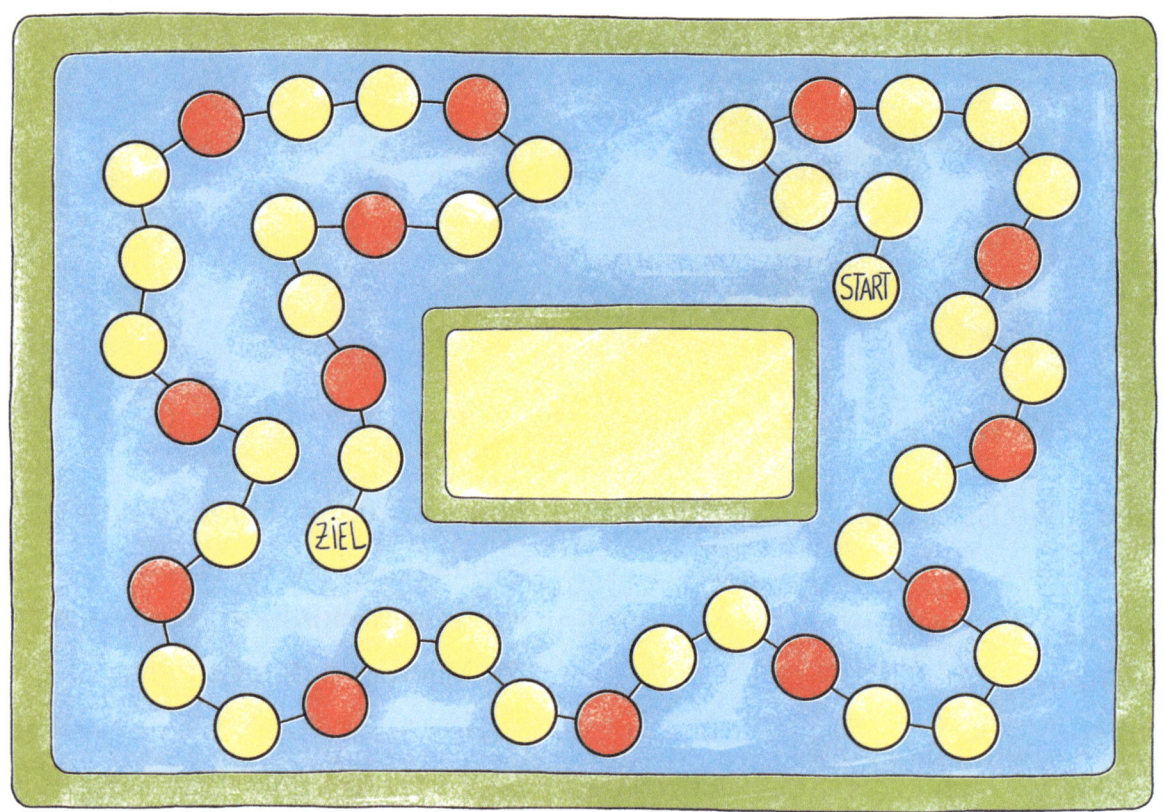

3 Ergänzt weitere Ereigniskarten mit euren Ideen.

einmal aussetzen	einen Witz erzählen	den Tisch umrunden

4 a) Überlegt, was ihr für das Spiel braucht,
wie viele Spieler mitspielen können
und wie das Spiel beginnt.
Schreibt eure Ideen ins Heft.

b) Überlegt euch Spielregeln für euer Spiel
und schreibt sie ins Heft.

> 4a) Spielmaterial:
> Mitspieler:
> Spielbeginn:
> b) Spielregeln:
> Spielende:

5 Sucht euch zwei Kinder für eine Gruppe.

a) Lasst sie eure Notizen von Aufgabe 4 lesen.

b) Spielt das Spiel gemeinsam.
Sprecht anschließend darüber. Müsst ihr Regeln verändern?

 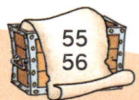
Ideen für ein Brettspiel entwickeln und formulieren
Ein selbst erdachtes Spiel ausprobieren
Einen Spielverlauf reflektieren

Eine Skizze lesen und eine Wegbeschreibung verfassen

1 Schau dir den Plan für die Schnitzeljagd an. Verfolge den Weg mit dem Finger.

Innerhalb der Skizze:

Drosselweg

- Steinen folgen
- nur weiße Steine
- Picknicktisch

- Weg hinter der Hütte
- Wald
- Baumstammstapel
- im Gras

Kastanienallee

- geradeaus
- Waldhütte
- unter einem Stein

- zum Bach
- links
- Boot

Uferweg

- Weg nach links
- Strauch mit Luftballons
- platzen lassen

- 10 Schritte am Ufer entlang
- hohler Baumstumpf

Bärenweg

START
- Bärenweg
- Baum mit Bank
- unter Bank

SCHATZ

2 An jeder Station ist ein Zettel versteckt. Lies den ersten Zettel.

> Station 1: Geht den Bärenweg entlang, bis ihr zu einer Bank
> an einem Baum kommt. Sucht unter der Bank nach einem Zettel.

3 Schreibe die Wegbeschreibung
zu den weiteren Stationen ins Heft.
Die Notizen im Plan helfen dir.

> 3) Station 2: Folgt dem
> Bärenweg bis zu …

4 Plane mit einem Partner eine Schnitzeljagd für die Klasse auf dem Schulhof.
Zeichnet einen Plan und schreibt dann die Zettel.

Sich auf einem Plan orientieren
Teilstrecken eines Planes beschreiben und die vorgegebene Reihenfolge einhalten
Einen eigenen Wegeplan zeichnen und beschreiben

23

Figuren beschreiben

eine böse Hexe

Male eine Hexe mit einem Kleid, einem Schal, einem Hut, Schuhen, einer langen Nase und großen Augen.

eine nette Hexe

1 Suche dir einen Partner.

2 Schaut euch die Bilder von Flex und Flora an.
Wie kommt es, dass die beiden ganz unterschiedlich gemalt haben?

3 Nun arbeitet jeder allein.
Wähle eine Hexe oben aus dem Bild aus.
Schreibe den Text ins Heft
und setze dabei zum Bild passende Adjektive
aus dem Kasten ein.
Du kannst auch eigene Adjektive verwenden.

3) Die ...

Die ▬ Hexe von Flex / Flora
Die Hexe sieht ▬ aus.
Sie hat ein ▬ Kleid
und hat sich einen
▬ Schal umgebunden.
Über ihren ▬ Haaren
trägt sie einen ▬ Hut.
Sie hat ▬ Schuhe.
Ihre Nase ist ▬
und ihre großen Augen
sind ▬.

fürchterlich	lieb
lumpig	schön
schmutzig	schick
bucklig	grimmig
flott	grässlich
lustig	hässlich
stechend	freundlich
spitz	elegant
alt	jung

4 Vergleicht eure Beschreibungen. Was fällt euch auf?

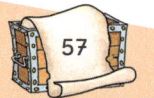
57

Erkennen, dass Adjektive zur Beschreibung nötig sind
Beschreibungen durch Adjektive präzisieren
Zwei Beschreibungen vergleichen

Eine Beschreibung untersuchen

1 Paul Maar beschreibt in seiner Geschichte
In einem tiefen, dunklen Wald, wie der Prinzessin
Henriette-Rosalinde-Audora ein Untier begegnet.
Lies den Text.

Jetzt sah sie das Untier zum ersten Mal. Es ging
auf zwei Beinen wie ein Mensch, war aber bestimmt
drei Meter hoch, am ganzen Körper behaart, hatte eine breite,
große Nase und ein erfreulich kleines Maul. Es schien keine Ohren zu haben,
denn aus den struppigen Haaren, die links und rechts wie zwei Kehrbesen
von seinem Gesicht abstanden, schauten nicht die kleinsten Ohrmuscheln
heraus. Das Erstaunlichste aber waren seine klobigen, plumpen Füße.
Sie waren mindestens so lang und fast so dick wie das große Essigfass
in der Schlossküche.

2 Lies den Text noch einmal, zeichne das Untier auf ein Blatt und klebe es ins Heft.

3 Schreibe einen Steckbrief für das Untier
mithilfe des Textes von Aufgabe 1 ins Heft.

| Größe | Körper | Nase |

| Füße | Maul | Ohren |

3) Größe: …

4 Paul Maar verwendet zum Beschreiben
nicht nur Adjektive, sondern auch Vergleiche.
Finde die Vergleiche im Text von Aufgabe 1
und schreibe sie ins Heft.

4) …

5 Finde eigene Vergleiche und ergänze die Zeilen im Heft.

rot wie …	gelb wie …
lang wie …	blau wie …
grün wie …	klein wie …
schön wie …	glitschig wie …

5) rot wie Blut
   …

6 Zeichne ein weiteres Untier und beschreibe es
im Heft. Verwende auch Vergleiche.

6) …

Das Textverständnis durch eine Zeichnung dokumentieren
Einen Steckbrief vervollständigen
Eigene Vergleiche finden

Fantasiegeschichten planen und schreiben

Wow! Damit kannst du ja tolle Sachen machen!

Zaubermütze

1 Überlege mit einem Partner, was Flex erleben könnte.

2 Stell dir vor, du hast eine Zaubermütze,
die dich unsichtbar macht.
Was könntest du damit erleben?
Schreibe deine Ideen ins Heft.

2) ...

3 Prüfe diese Einleitung mit den Fragen
Wer?, **Wo?** und **Wann?**.
Schreibe die Antworten ins Heft.

3) Wer? ...
Wo? ...
Wann? ...

An einem verregneten Tag schlich ich mich heimlich
auf den Dachboden. Zwischen jeder Menge alter Kleidung
machte ich eine tolle Entdeckung. Ich fand eine Zaubermütze
und setzte sie mir vorsichtig auf.

4 a) Wähle eine Idee von Aufgabe 2 aus, mit der du
die Geschichte von Aufgabe 3 fortsetzen möchtest.

4) _____
...

b) Schreibe zu deiner Idee den Hauptteil der Geschichte
ins Heft. Lass die erste Zeile für die Überschrift frei.

5 Finde eine treffende Überschrift für deine Geschichte und schreibe sie ins Heft.

6 Finde einen passenden Schluss für deine Geschichte und schreibe ihn ins Heft.

7 Lies deine Geschichte einem Partner vor.
Frag ihn, was ihm besonders gut gefallen hat und was du noch verbessern kannst.

59

Ideen zu einem fantastischen Bild sammeln und verschriftlichen
Eine Einleitung mit W-Fragen überprüfen, einen Hauptteil und einen Schluss schreiben
Eine Rückmeldung zu einer Geschichte einholen

Eine Fantasiegeschichte fortsetzen

1 Lies die Einleitung der Geschichte.

Alles fing damit an, dass ich letzten Sommer
beim Sperrmüll zwischen jeder Menge Gerümpel
eine kleine Maschine fand. Zuerst wusste ich nicht,
was man damit machen konnte, aber dann drückte ich
einfach auf einen der Knöpfe. Plötzlich drehte sich alles
um mich herum. Vorsichtig öffnete ich die Augen
und war in einer anderen Zeit.

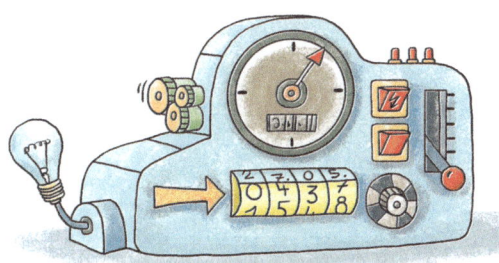

2 Wie könnte die Geschichte weitergehen?
Wo würdest du in der Zukunft
oder in der Vergangenheit gern landen?
Notiere deine Ideen im Heft.

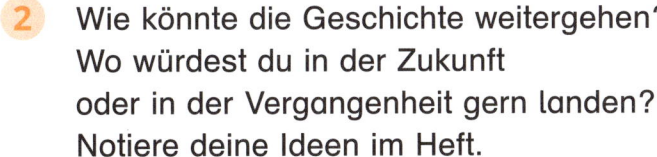

2) ...

3 Wähle eine Idee von Aufgabe 2 aus,
mit der du die Geschichte von Aufgabe 1
fortsetzen möchtest.
Schreibe deine Geschichte ins Heft
und finde eine treffende Überschrift.

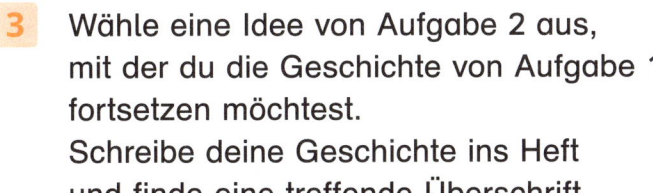

3)
...

4 Suche dir zwei Kinder für eine Gruppe.

a) Lies ihnen deine Geschichte vor.

b) Überarbeitet die Geschichte
mithilfe des Überarbeitungskreises.

5 a) Lies die Einleitung der Geschichte.

Ein alter, geheimnisvoller Koffer stand eines Tages in unserem Keller.
Niemand traute sich so recht an ihn heran, als plötzlich …

b) Wie könnte die Geschichte weitergehen? Notiere deine Ideen im Heft.

c) Schreibe deine Geschichte ins Heft und finde eine treffende Überschrift.

6 Welchen Zaubergegenstand würdest du gern einmal finden?
Schreibe zu deinem Zaubergegenstand eine Geschichte ins Heft.

Ideen für die Fortsetzung einer Einleitung sammeln
Zu einer fantastischen Einleitung einen Hauptteil und einen Schluss schreiben
Eine Fantasiegeschichte überarbeiten

60 · AH S. 59

Berichte schreiben

1 Was ist passiert? Sprich mit einem Partner darüber.

2 Beantworte die Fragen in Stichworten im Heft.

> **Was** ist passiert?

> **Wann** ist es passiert?

> **Wo** ist es passiert?

> **Wer** war dabei?

> **Wie** ist es passiert?

2) Was ist passiert?

......

Wenn du etwas genau berichten willst, beantwortest du
die **W-Fragen**: **Was?**, **Wann?**, **Wo?**, **Wer?** und **Wie?**.
Einen Bericht schreibst du kurz und sachlich.
Dafür verwendest du das Präteritum.

Beachte
beim Schreiben
die Tipps aus
dem Kasten.

3 Berichte im Heft über den Unfall.
Benutze deine Stichworte.
Schreibe in ganzen Sätzen.
Du kannst auch mehrere Stichworte
in einem Satz verwenden.

3) In der großen Pause
gab es ...

4 Hast du schon mal einen Unfall erlebt?
Berichte einem Partner darüber.
Denke an die **W-Fragen**.

Antworten auf die W-Fragen aus einem Bild ableiten
W-Fragen als Schreibhilfe für einen Bericht kennenlernen
Einen Bericht aufschreiben

Einen Bericht untersuchen

1 Schau dir das Bild an und lies den Bericht, den die Kinder für die Schadensmeldung geschrieben haben.

Es passierte am Donnerstag, dem 14. April, in der großen Pause.

Wir wollten Hockey spielen und für das Klassenhockeyturnier trainieren.

Letztes Jahr konnten wir nicht mitmachen, weil wir das Spiel noch nicht kannten.

Natürlich war das Hockeyfeld wieder von denen aus der 4b besetzt.

Wir trainierten auf dem Platz vor dem Klassenzimmer der 2b auf dem Schulhof.

Alle Kinder der 4a spielten mit. Wie letzte Woche hatte Jan wieder seine

witzige Hose an. Leonie wollte unbedingt im Tor stehen.

Zuerst ging alles gut. Aber dann passierte es.

Der Ball von Jan krachte mit voller Wucht gegen die Scheibe der 2b

und landete im Klassenzimmer. Die Glassplitter flogen überall herum.

Wir waren alle ganz entsetzt. Jan jammerte: „Das war doch keine Absicht.

Tom hat mir den Ball schlecht zugespielt." „Stimmt doch gar nicht",

antwortete Clara, um Tom zu verteidigen. Dann gab es Streit.

2 a) Zeige einem Partner im Text von Aufgabe 1 die Antworten auf die **W**-Fragen:
Was ist passiert?
Wann ist es passiert?
Wo ist es passiert?
Wer war beteiligt?
Wie kam es dazu?

b) Der Bericht enthält einige Sätze,
die für die Schadensmeldung nicht wichtig sind.
Zeige sie deinem Partner.

Wörtliche Rede gehört nicht in den Bericht.

3) ...

3 Schreibe den Bericht von Aufgabe 1 überarbeitet ins Heft.

Textpassagen W-Fragen zuordnen
Unwesentliches in einem Bericht finden
Einen Bericht überarbeiten und aufschreiben

61
62

Berichte vergleichen

1 Meike und Felix sind bei den Streitschlichtern.
Für die Streitschlichter haben sie Stichwortzettel ausgefüllt.
Lies die Stichwortzettel.

Meikes Zettel

Was? Felix hat mich einfach auf den Boden geworfen.
Wann? Heute in der Hofpause
Wo? Im Hof beim Kletterturm
Wer? Felix aus der 4b
Wie? Ich wollte zum Kletterturm und plötzlich stößt mich jemand von hinten um. Das war Felix. Der wollte wohl zuerst zum Turm. Da habe ich ihm eine geknallt und er hat mich an den Haaren gezogen.

Felix' Zettel

Was? Meike hat mir eine geknallt.
Wann? In der großen Pause
Wo? Beim Klettergerüst
Wer? Meike aus der 4a
Wie? Ich war auf dem Weg zur Schaukel. Da höre ich Luca rufen und schaue kurz zu ihm hin. So bin ich aus Versehen in Meike gerannt. Dann hat sie mir einfach eine Ohrfeige gegeben, obwohl das gar nicht extra war.

2 Schreibe in eigenen Worten ins Heft, …

a) … wie Meike den Streit sieht.

b) … wie Felix den Streit sieht.

> 2a) Meike …
>   b)

3 Warum sehen beide den Grund für den Streit jeweils anders?
Sprich mit einem Partner darüber.

4 Was ist wirklich passiert?
Schreibe den Bericht ins Heft.

> 4) Heute in der
>   großen Pause …

Berichte aus verschiedenen Perspektiven vergleichen
Einen objektiven Bericht schreiben

Einen Bericht zu Bildern schreiben

1 Schau dir die Bilder an.

2 Viele Kinder haben die Prügelei gesehen und berichten der Lehrerin. Lies die Sprechblasen.

> Wir wollten David gegen Can und Lisa helfen.

> David hat sich nur gewehrt.

> Das machen die immer.

> Can und Lisa wollten sich vordrängeln.

> Es war am Anfang der großen Pause.

3 Beantworte mithilfe der Bilder und der Aussagen der Kinder die **W**-Fragen im Heft.

> 3) Was ist passiert? ...

Was ist passiert?

Wann ist es passiert?

Wo ist es passiert?

Wer war beteiligt?

Wie ist es passiert?

> Denke daran: kurz und sachlich!

4 Schreibe mit den Antworten von Aufgabe 3 einen Bericht über die Prügelei ins Heft.

> 4) ...

Aus einer Bildfolge Antworten auf die W-Fragen ableiten
W-Fragen als Strukturierungshilfe nutzen
Einen Bericht mithilfe von Stichworten aufschreiben

T4

31

Argumente sammeln, ordnen ...

Das Anziehen am Morgen geht viel schneller.

Ich ziehe doch nicht jeden Tag Sachen in den gleichen Farben an!

Du kannst dafür oder dagegen sein. Dafür ist pro und dagegen ist contra.

1 Suche dir drei Kinder für eine Gruppe.

Mit einem Argument begründest du deine Meinung.

2 Sprecht darüber, welche Aussagen für (pro) und welche gegen (contra) eine Schuluniform sprechen.

3 Nun arbeitet jeder allein.
Überlege dir noch weitere Argumente
für (pro) oder gegen (contra)
eine Schuluniform.
Schreibe sie geordnet ins Heft.

> 3) Für eine Schuluniform pro: ...
> Gegen eine Schuluniform contra: ...

4 Entscheide dich, ob du für oder gegen eine Schuluniform bist.
Markiere das Argument in Aufgabe 3, das für dich am wichtigsten ist.

5 Stellt euch in der Gruppe gegenseitig vor,
welche Argumente ihr in Aufgabe 3 gefunden habt.
Beginnt immer mit eurem wichtigsten Argument.

6 Überlegt, wie andere Personen über das Thema Schuluniform denken könnten.
Findet für jede dieser Personen pro-Argumente und contra-Argumente.

> Mutter oder Vater   Lehrerin oder Lehrer

7 Verteilt die Rollen:
zwei Schulkinder, Mutter oder Vater
und Lehrerin oder Lehrer.
Jeder sammelt für seine Rolle
Argumente für (pro) und gegen (contra)
eine Schuluniform und schreibt sie ins Heft.

> 7) Rolle: ...
> Für eine Schuluniform pro: ...
> Gegen eine Schuluniform contra: ...

Pro- und contra-Argumente kennenlernen und finden
Eine Gewichtung in der Argumentation finden und einen Standpunkt vertreten
Pro- und contra-Argumente anderer Personen antizipieren

... und diskutieren

Tipps für eine gute **Diskussion**:
- Wir hören uns aufmerksam zu. Jeder darf ausreden.
- Wir sprechen freundlich miteinander.
- Wir reagieren auf das, was ein anderer vorher gesagt hat.
- ...

> Ich meine, dass ...

> Meiner Meinung nach ...

> Das kann man so sehen, aber ...

> Ein Argument dafür ist, dass ...

> Für meinen Standpunkt spricht, dass ...

8 Diskutiert das Thema Schuluniform in eurer Gruppe.
Zwei Kinder sollen pro und zwei contra Schuluniform sein.
Entscheidet dies für eure Rolle, die ihr in Aufgabe 7 gewählt habt.

> Beachtet bei eurer Diskussion die Tipps aus dem Kasten.

9 Wähle eines der Themen für eine Sammlung
von pro-Argumenten und contra-Argumenten aus.

> Dürfen die Kinder
> einen mp3-Player mit auf
> die Klassenfahrt nehmen?

> Sollen die Kinder auf
> einer 3-tägigen Klassenfahrt
> zu einer alten Burg einen freien
> Nachmittag haben?

> Soll man das Taschengeld
> für die Klassenfahrt für alle
> gleich festlegen?

> Dürfen die Kinder auf einer
> Klassenfahrt zu dritt in die Stadt
> gehen? Es ist ein Fußweg
> von 20 Minuten.

10 Überlege dir zu deinem Thema
pro-Argumente und contra-Argumente
und schreibe sie ins Heft.

10) pro	contra

11 Welche Meinung hast du
zu diesem Thema?
Schreibe einen Brief
an deinen Klassenlehrer
oder deine Klassenlehrerin ins Heft.
Mache deine eigene Position
sehr deutlich. Beginne mit
deinem wichtigsten Argument.

11) Liebe Frau ...,
ich finde, ...

> Denke an die Briefformalien: Anrede, höfliche Anredepronomen, Gruß.

Eine zugeteilte Meinung in einer Diskussion vertreten
Ein Diskussionsthema auswählen und Pro- und contra-Argumente finden
Die eigene Meinung zu einem Thema in einem Brief verdeutlichen

 AH S. 60–61

63
64

Drehbücher schreiben

Den Witz kann man toll spielen.

Dann müssen wir aber festlegen, wer was sagt. Wie in einem Drehbuch!

⑫ Theo und Leo tragen ein Klavier in den 13. Stock. Sagt der eine: „Mensch, ist das schwer." Sagt der andere: „Wir haben's gleich geschafft." Sieht sich der eine um und sagt: „Ich habe eine gute und eine schlechte Nachricht. Die gute ist, wir sind schon im 12. Stock. Die schlechte ist, wir sind im falschen Haus."

1 Suche dir einen Partner.

2 Welche Personen spielen in der Szene mit? Welche Requisiten benötigt ihr, wenn ihr den Witz nachspielen möchtet? Schreibt ins Heft.

> 2) Personen: _____
>   Requisiten: _____

3 Schreibt das Gespräch zwischen Theo und Leo für das Drehbuch ins Heft. Notiert in der Regieanweisung, wie Theo und Leo sich fühlen.

> 3) Theo (erschöpft): _____
>   Leo (beruhigend): _____
>   Theo (…): _____

4 Übt die Szene zu spielen.

5 Sucht euch zwei Kinder als Zuschauer für das Spiel. Können sie euch noch Tipps geben?

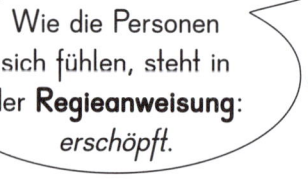

Wie die Personen sich fühlen, steht in der **Regieanweisung**: *erschöpft.*

6 Nun arbeitet jeder allein. Lies den Witz.

Ein Gast sitzt im Café am Tisch. Der Kellner kommt und fragt nach der Bestellung. Der Gast möchte Kaffee und ein Stück Kirschkuchen. Der Kellner geht. Der Kellner bringt Kaffee und Kuchen. Der Gast schaut den Kuchen an und fragt nach der Sorte. Der Kellner sagt, es sei ein Kirschkuchen. „Aber da sind ja gar keine Kirschen drin!", sagt der Gast. Der Kellner überlegt kurz und antwortet: „Haben Sie schon mal Hundekuchen gesehen, in dem Hunde sind?"

7 Ergänzt das Drehbuch im Heft. Was sagen die Personen? Denkt an die Regieanweisung.

> 7) Szene: 1 | Personen: Gast, Kellner | Requisiten: Tisch, Serviette
>   K (freundlich): Was wünschen Sie?
>   G (…   ): Ich …

8 Übt den Witz und spielt ihn eurer Klasse vor.

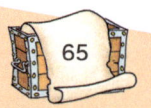 65

Einen Witz in einen Dialog umschreiben
Regieanweisungen zu Personen schreiben
Einen Witz szenisch umsetzen

Eine Geschichte ...

1 Suche dir vier Kinder für eine Gruppe.

2 Zuerst liest jeder die Geschichte allein.

Der blaue Stein
von Anne-Gaelle Balpe

Oli hielt einen blauen Kieselstein in den
Armen. Er hatte ihn am Fuß einer Margerite
gefunden und beschlossen, ihn zu behalten.
Der Stein hatte keine besondere Form.
5 Er war weder schwer noch rau. Aber er war
blau, so blau, wie es Oli nie zuvor gesehen
hatte. Den Kieselstein fest an sich gedrückt,
machte sich Oli auf den Weg.

Im Wald traf er ein Wildschwein.
10 „Was hast du da in der Hand?", fragte das
riesige Tier. „Einen blauen Kieselstein",
antwortete Oli und zeigte dem Wildschwein
seinen Stein. „Wozu soll der nützlich sein?"
„Ich weiß es noch nicht", sagte Oli, „aber ich
15 bin sicher, dass ich ihn irgendwann einmal
brauchen kann." „Mit so einem kleinen Kieselstein
kann man überhaupt nichts anfangen", lachte das
Wildschwein. „Du verschwendest nur deine Zeit,
wenn du ihn mitschleppst. An deiner Stelle
20 würde ich ihn wegschmeißen und stattdessen
Wurzeln und Eicheln für den Winter suchen."
Oli sagte nichts.

Den Kieselstein fest umschlungen, ging er weiter. In der Nähe einer Eiche
sah Oli einen Wolf. „Was trägst du da mit dir?", fragte der Wolf.
25 „Einen blauen Kieselstein", antwortete Oli und zeigte ihm den Stein.
„Wozu soll der nützlich sein?" „Ich weiß es noch nicht", sagte Oli,
„aber ich bin sicher, dass ich ihn irgendwann einmal brauchen kann."

„Mit so einem stumpfen Kieselstein kann
man überhaupt nichts anfangen", sagte der
30 Wolf und fletschte die Zähne.
„Du verschwendest nur deine Zeit, wenn du
ihn mitschleppst. An deiner Stelle würde ich ihn
wegschmeißen und einen scharfen Stein suchen,
damit du dir einen Stock abschneiden und dich
35 im Wald wehren kannst."
Oli sagte nichts.

Den Kieselstein fest unter dem Arm,
ging er weiter. Auf einer Lichtung entdeckte Oli
drei Zwerge, die mit Murmeln spielten.
40 „Was versteckst du da hinter deinem Rücken?",
riefen die Zwerge einstimmig.
„Einen blauen Kieselstein", antwortete Oli
und zeigte den Stein. „Wozu soll der nützlich sein?"
„Ich weiß es noch nicht", sagte Oli,
45 „aber ich bin sicher, dass ich ihn irgendwann
einmal brauchen kann."
Die Zwerge fingen an zu kichern: „Mit so einem flachen Kieselstein kann man
überhaupt nichts anfangen. Du verschwendest nur deine Zeit, wenn du ihn
mitschleppst. Schmeiß ihn weg und such dir ein paar schöne runde Kieselsteine,
50 dann kannst du mit uns spielen."
Oli sagte nichts.

Den Kieselstein fest in den Armen, ging er weiter. Kurz darauf sah Oli
ein kleines Mädchen, das auf einem großen Stein saß und weinte.
„Warum weinst du?", fragte Oli. Ohne ein Wort zu sagen,
55 zeigte das Mädchen auf seine Stoffpuppe. Die Puppe hatte nur noch ein Auge.
Da, wo das zweite Auge gewesen war, klaffte ein Loch.
„Ich weine, weil mir jeder sagt, dass ich die Puppe wegschmeißen soll",
schluchzte das Mädchen jetzt.
Oli zog seinen Kieselstein hinter dem Rücken hervor.

... ein Drehbuch schreiben und die Geschichte spielen

60 Der Kieselstein hatte genau die gleiche Größe
und Farbe wie das Auge der Puppe.
„Hier", sagte Oli und gab dem Mädchen
den blauen Stein. Er passte perfekt.
Endlich hatte die Puppe wieder beide Augen.

65 „Ich war sicher, dass ich den Stein irgendwann
einmal brauchen könnte", lachte Oli glücklich.
Er hob einen Faden auf, den die Puppe
verloren hatte, steckte ihn in seine Tasche
und machte sich auf den Weg.

 3 a) Wie viele Szenen hat diese Geschichte?
Notiert im Heft.

3a)   . . .

b) Zeigt in der Geschichte, was Oli sagt
und was das Wildschwein, der Wolf,
die drei Zwerge und das Mädchen sagen.

c) Sprecht darüber, welche Requisiten, Kostüme oder Masken ihr braucht,
um die Geschichte zu spielen. Macht euch Notizen im Heft.

 4 Lest den Drehbuchauszug für die erste Szene.

Szene: 1	Personen: Oli	Requisiten: Margerite, blauer Stein
Oli (überrascht): Was für ein toller Stein! So einen blauen Stein habe ich noch nie gesehen. Den behalte ich.		

5 Verteilt die vier verbleibenden Szenen
untereinander. Nutzt Aufgabe 4 und schreibt
für eine Szene ein Drehbuch ins Heft.
Denkt auch an die Regieanweisungen.

5) Szene:	Personen:	Requisiten:

6 a) Verteilt die Rollen: Oli, das Wildschwein,
der Wolf, die drei Zwerge, das Mädchen.

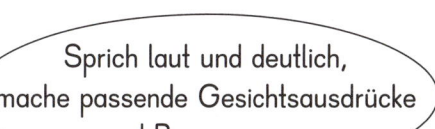

Sprich laut und deutlich,
mache passende Gesichtsausdrücke
und Bewegungen.

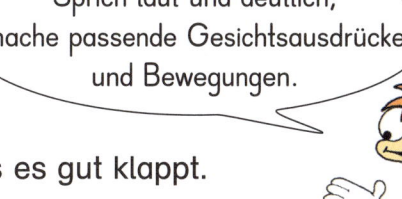

b) Übt euren Teil der Geschichte zunächst allein.

c) Übt das Spielen dann mehrmals gemeinsam, bis es gut klappt.

7 a) Spielt euer Spiel der Klasse vor.

b) Fragt die Kinder, was ihnen gut gefallen hat
und was ihr noch verbessern könnt.

Szenen in einer Geschichte erkennen
Eine Textvorlage als Drehbuch schreiben
Ein Szenisches Spiel gemeinsam entwickeln und umsetzen

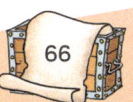

Eine Klassenzeitung ...

1 Alle Kinder der Klasse teilen sich in Gruppen ein.
Suche dir zwei oder drei Kinder für eine Gruppe.

Tipps für die Herstellung einer **Klassenzeitung**:
- Wir sammeln gemeinsam Ideen
  und entscheiden uns für Themen.
- Wir verteilen die Themen an die Kinder und legen fest,
  bis wann die Beiträge fertig sein müssen.
- Wir erarbeiten unsere Beiträge für die Zeitung.
- Wir gestalten die Zeitung: Wir finden Seitenüberschriften,
  suchen Fotos aus und legen die Reihenfolge
  der Beiträge fest.
- Wir lesen alles noch einmal und verbessern die Fehler.

2 Nun arbeitet jeder allein.
Überlege, welche Themen
in einer Klassenzeitung stehen könnten.
Ergänze den Gedankenschwarm im Heft.

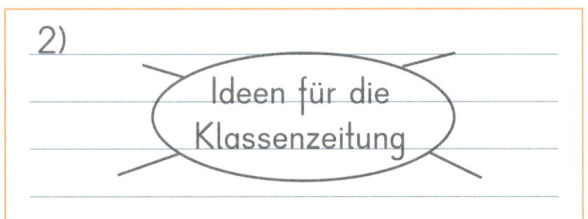

3 Sprecht in der Gruppe über eure Ideen von Aufgabe 2.
Ergänze deinen Gedankenschwarm von Aufgabe 2
mit den Vorschlägen der anderen.

Themen für eine Klassenzeitung kennenlernen
Tipps zur Herstellung einer Klassenzeitung kennenlernen
Ideen für eine Klassenzeitung sammeln

... planen und schreiben

 4 Überlegt euch Namen für die Klassenzeitung
und einigt euch auf einen Namen.
Schreibe ihn ins Heft.

> 4) ...

5 Wählt einen Gruppensprecher,
der eure Ergebnisse von Aufgabe 3 und 4
der Klasse vorstellt. Besprecht,
was genau der Gruppensprecher vorstellen soll.

6 Stellt euch in der Klasse gegenseitig
die Ergebnisse der Gruppenarbeit vor.

> 6a) ...

a) Stellt euch die Namensvorschläge
für die Klassenzeitung vor.
Stimmt über den besten Vorschlag ab.
Schreibe den Namen eurer Klassenzeitung ins Heft.

b) Sammelt die möglichen Themen für eure Klassenzeitung
in einem großen Cluster, zum Beispiel an der Tafel.
Stellt aus eurer Gruppe immer nur die Themen vor,
die noch nicht genannt wurden.

c) Entscheidet, zu welchen Themen ihr etwas schreiben wollt
und wer welchen Zeitungsbeitrag übernimmt.

d) Schreibe ins Heft, welche Beiträge du schreiben wirst.

7 Besprecht in der Klasse, was ihr bei der Erstellung
der Klassenzeitung beachten müsst.
Sprecht über folgende Fragen:

> Ihr könnt ein Thema allein, mit einem Partner oder in der Gruppe bearbeiten.

- Bis wann müssen die Beiträge fertig sein?
- Sollen die Texte am Computer oder handschriftlich geschrieben werden?
- Sollen Fotos und Zeichnungen digital eingefügt werden oder aufgeklebt werden?
- Soll die Zeitung geheftet, gebunden oder gefaltet werden?
- Wie kann die Zeitung vervielfältigt werden? Was wird das kosten?

8 Nun arbeitet jeder allein.
Schreibe einen Beitrag zu deinem Thema
von Aufgabe 6 ins Heft.

> 8) ...

9 Überarbeite deinen Beitrag mit deiner Gruppe.
Benutzt dazu den Überarbeitungskreis.

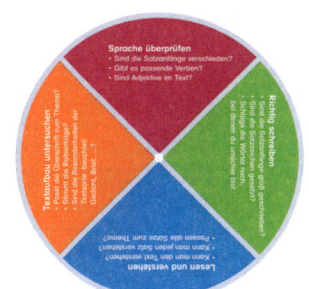

10 Gestalte deinen Beitrag für die Klassenzeitung.
Nutze die Gestaltungsmöglichkeiten auf Seite 40.

Einen Namen für eine Klassenzeitung finden
Die Herstellung einer Klassenzeitung organisieren
Eine Klassenzeitung verfassen und überarbeiten

67

1 Je nach Textsorte kann dein Beitrag in der Klassenzeitung ganz unterschiedlich aussehen. Informiere dich auf dieser Seite über Gestaltungsmöglichkeiten und nutze sie für die Erstellung deiner Beiträge für die Klassenzeitung.